KB103612

저는 성장이 더딘 것이 아니라 회복이
더딘 것입니다

저는 성장이 더딘 것이 아니라 회복이 더딘 것입니다

발 행 | 2024년 7월 31일
저 자 | 유아솔
펴낸이 | 한건희
펴낸곳 | 주식회사 부크크
출판사등록 | 2014.07.15.(제2014-16호)
주 소 | 서울특별시 금천구 가산디지털1로 119 SK트윈타워 A동 305호
전 화 | 1670-8316
이메일 | info@bookk.co.kr

ISBN | 979-11-410-9887-2

www.bookk.co.kr

저는 성장이 더딘 것이 아니라
회복이 더딘 것입니다

유아솔 지음

절 성장하게 만들어준 당신에게 바치는 마음으로
이 글을 선물해 드립니다.

TO.

From. 아솔드림

CONTENT

들어가며

작년 말쯤 원래 있던 우울증이 더 심해졌었다. 엄마와 아빠의 견해차로 인해 싸움과 갈등은 더욱더 심해졌고 나는 그걸 보며 스트레스를 받았다. 그나마 숨을 쉴 수 있었던 학교에서도 '남에게 잘 보여야 한다는 생각' 때문에 학교에서도 내 본연의 감정이 아닌 내가 원하는 감정으로 만들어내 가면을 쓰며 학교에 다녔다. 나는 점점 스트레스가 심해졌고 올해 초 공황발작이 심해졌다. 죽을 것 같았다. 사람이 이렇게 살아도 되나 싶어질 정도로 나는 점점 목이 졸려가는 광대가 되어가고 있었다. 웃어도 내가 웃는 게 아니었고, 사는데 맞는가 싶어질 정도로 나는 피폐해져 가고 있었다. 집에선 우울해졌고, 좌절했으며 모든 희망을 다 잃었다. 모든 사람이 날 잡아주지 않는 것 같은 느낌에 모든 것을 포기하려고 했었다. 하지만 여러 사람이 나에게 다가와 손을 잡아줬고 그렇게 나는 점차 "내가 나대로 살아가는 법"을 배워가는 것 같다. 나는 지금도 현재진행형이지만 내가 나대로 살아가는 법을 배워가면서 내 마음이 잠시 쉴 방법을 배워간다. 그걸 알아간 계기와 그 이야기들, 내가 나누고픈 이야기를 적어본 하나의 대작품(?)같은 글을 써봤다. 아무렴 아직 초짜라 글이 서툴지만 잘 읽어주길 바란다.

1. 어린 시절, 내가 살아왔던 방식

저는 성장이 더딘 것이 아니라 회복이 더딘 것입니다

자살 시도와 자해 시도

나는 자살 시도를 2번 했다. 3번인지 정확하지 않
긴 하지만 그래도 내가 기억나는 것을 이야기해보
겠다. 처음에 자살 시도를 했던 건 24년도 3월 초
쯤이었던 것 같다. 따스한 봄날이 찾아왔을 때, 난
죽기로 결심했다.

나는 이전까지 한 작은 정신과 의사가 운영하던
의원을 다녔다. 현재는 대안학교를 운영하는 규모
가 큰 병원에서 상담을 다니고 있다. 그 의사 선
생님은 상담을 잘하셨다. 약도 환자에게 맞게끔
잘 처방해주려 노력하긴 했지만, 그중에서도 상담
은 다른 사람 못지않게 매우 잘하셨다. 내 인생
중에서 나도 모르는 내 마음을 처음으로 알아주었
던 한 사람이었다. 분명 난 바다만 보여줬을 뿐인
데 그 바다 안에 있는 생선들이 무엇인지까지 알
아내는 사람이었다. 아이러니하게도 그랬다. 아무
튼 그 의사분이 너무나도 마음에 들었다. 전혀 호
전되지 않았다. 그때의 나는 모든 것을 포기하는
과정에 놓였기 때문이다. 나는 전혀 그 무엇도 나

아지려고 노력하지 않는 아이가 되어버린 것이다. 그래서 나는 이렇게 살 바엔 죽는 게 낫겠다고 판단하고 나는 금요일 3교시 쉬는 시간에 알약 몇십 알을 삼키고 음악실로 향했다.

두 근…두 근..두 근…. 심장이 요동쳤다. 그날따라 복도를 걷는 내 발걸음이 다르게 느껴졌다. 학교 건물 벽에 붙어있는 창문 너머로 보인 건물들의 상호들이 저랬었나 하는 생각이 들고, 애들을 볼 때마다 얼굴을 섬세하게 지켜보았다. 계단 한 층을 내려가고 학교 음악실이 있는 특별실로 한층 한층 올라갔다. 그 이후 나는 음악실에 도착해 의자에 앉아 선생님이 이야기하시는 수행평가 이야기를 듣다 나는 쓰러졌다.

그 이후는 내 친구가 들려준 이야기다.

친구는 내가 갑자기 일어나더니 책상 모서리에 머리를 박으며 쓰러졌다고 한다. 내가 "아파. 아파." 해서 내 친구가 일으켜줬더니 내가 어지럽다며 혼자서 보건실까지 갔다는 말을 해주었다. 그 이후의 보건 선생님의 말씀으로는 내가 직접 어지럽다고 해서 왔다나 뭐라나…. 아무튼 나는 보건실에서 누워있는 필름부터가 시작이다. 하지만 나도 그렇게 확실하게 기억이 나진 않는다. 보건실에서 눈을 떴을 땐 담임 선생님과 보건 선생님이 나를 보며 대화하셨고 나는 그런 선생님들을 얼굴을 봤다. 참 아무리 생각해도 두 분 모두 심각하신 표정이었던 것 같다. 그리고 담임 선생님은 직접 자차로 내가 다니는 병원까지 데려다주셨다. 왜냐하면 난 그때 ADHD 검사를 받으러 가는 날이였기 때문이다. 나는 무사히 병원에 도착했지만 검사할 때 나의 상태는 엉망진창이었다. 그때 졸려 죽으려 하고 난리를 피워대서 임상심리사분이 나에게 화를 버럭버럭 내셨다. 그건 기억난다. 그리고 검사를 끝낸 후 학교에 와서는 정신이 말똥말똥 해졌다. 아마 다 소화가 된 듯했다. 아. 여기서까지 읽으면 왜 응급실에 안 갔냐는 생각이 들 것이다. 왜냐면 내가 그때 빈혈이라고 거짓말을 했다. 결정적인 이유는 혼나기 싫어서. 지금 생각해도 순 쓰레기 같은 생각이었다. 그 이후엔 더 혼날 텐데.. 다시 본 이야기로 넘어가자면, 주말에 가서 데려다주신 것에 죄송하게 느껴져서 담임선생님께 연락을 드렸었다. 연락을 하는 중에 담임 선생님이 그때 평소에 먹던 약을 똑같이 먹었냐는 질문에 나는 어쩔 수 없이 사실대로 이야기했다.

"선생님 제가 약을 여러 개 복용했어요.
사실 아침에 갑자기 우울해져서…."

"절대 안 되는 거야 다시는 그러지 마."

라는 답장이 왔다. 뭐 사실 제일 현명한 답이기도 했다. 제일 맞는 말. 그 이후엔 뭐. 그럭저럭 지낸 것 같다.

두 번째 자살 시도도 약이었다.
첫 번째 상황과 비슷하게 흘러간 상황은 멈출 수 없었다. 사실상 내 충동으로 인해 걷잡을 수 없는 물같이 되어버린 상황은 더욱 커져만 갔고 결국엔 또 애들 앞에서 쓰러졌다. 뭐 근데 의식은 조금 있었던 것 같다. 5월이었는데…. 2개월 사이에 또 자살 시도를 한 셈이니…. 뭐랄까 그냥 살고 싶지 않은 느낌이 항상 들긴 했다. 근데 버티는 거였다. 너무 물이 흐르듯이 갈 듯한 느낌이니 다시 본론으로 돌아오겠다.

그때는 약을 먹었던 시각은 점심시간 밥을 먹은 직후였다. 밥을 그땐 아주 조금, 진짜 조금 먹었다. 애들이 왜그렇게 조금 먹냐고 물어볼 정도로 조금 먹었다. "이젠 진짜 이게 마지막 학교에서의 급식이구나." 생각하며 밥을 먹었다. 그래서인가 밥이 그날따라 더 맛있게 느껴졌달까. 이후 밥을 먹곤 나혼자 한바퀴를 돌았다. 곧 여한 없는 사람처럼 2바퀴정돈 더 돈 것 같다. 그러다 고등학교 앞에 있는 벤치에서 약 몇십알을 한움쿰 입에 머금곤 아까 매점에서 사온 포카리스웨트를 벌컥벌컥 마셨다. 약의 쓴 맛이 목을 타고 넘어가며 쿡쿡 찔러댔지만 더이상은 상관없었다. 나는 곧 죽을 사람이니깐. 이온음료를 다마신 후에는 반바퀴정도 걷다 친구들이 있기에 우리학교 앞에 있는 벤치에서 이야기를 하다가. 난 쓰러졌다.

눈앞이 '핑~' 하고 돌며 나는 옆으로 쓰러졌다.

쓰러지고 보건실에 끌려갔을 땐 그땐 점심시간이었는데 선생님들이 엄청나게 찾아왔다. 자기 일도 아닌데 도대체가 왜 찾아오는 건지…. 진심으로 이해가 안 됐었다. 그때 내가 보건실에서 앉아있을 때 미술 선생님이 내 옆에 앉으셔서 나랑 이야기를 잘 나눠주셨다. 처음엔 이해도 안 가긴 했지만 그럴 때마다 마음이 진정되어서 감사하기도 했다. 아무튼. 나는 구급차에 실려서 학교 주차장에서 1시간 40분 동안 주야장천 응급실에 갈 수 있는 병원을 찾았다. (아마도 그때 약은 다 소화가 된 듯하다. 어리석게도) 쉼 없이 구급대원 분께서 전화를 돌리던 중 서울대 병원으로 이송할 수 있다는 연락이 와서 구급차를 타고 빠르게 병원에 갔다. 도착한 후 걸 수가 없는 나는 휠체어에 타서 피 뽑고…. 수액 맞고…. 소변검사하고…. 정신과 전문의와 따로 면담도 하고…. 정말 바빴다. 하지만 이건 소금 중 한 톨인 뿐이이였다. 가격이 난리였다. 응급실 한번 다녀왔더니 50만 원이 훌쩍 들었다. 이럴 거면 그냥 진심으로 수면제나 사서 탈탈 털어버릴걸. 이라는 생각이 들었지만 결국 살긴 살았으니깐. 그래서 급하게 온 둘째 언니 차를 타고 고기를 먹으러 가기로 했다. 고기를 먹으러 간 곳이 '시집'이라는 고깃집이었던 것 같은데…. (어이없는 말이지만 거기 고기 진짜 맛있엇다^^;) 그래서 가게로 들어간 후에 자리를 잡고 앉아 나는 뻘쭘해 하며 언니들을 지켜봤다. 언니들은 별말 안 하고 그냥 고기 이야기만 했다. 언니들을 볼 때마다 무슨 생각을 해야 하는지를 많이 고민하고 있었지만 첫째 언니가 다음부터 그러지 말라고 이야기를 꺼냈다. 미안하다고밖엔 할수가 없었다. 나는 무언가 마음속에서 송곳이 찔리는 듯한 마음이 들긴 했지만 어쩔 순 없었다. 그 후에 나는 신발도 선물 받고…. 여러 가지로 많은 선물을 받았다. 하나님이 내린 또 한 번의 기회라고 해야 하는 것일까.. 좀 많이 애매모호 했다. 아무튼 그다음 날 학교에 가겠다고 했었을 땐 엄마와 아빠가 말렸지만 학교가 가고 싶었다. 내가 정상 생활이 가능하다는 걸 알려주고 싶었다. 하지만 가서도 힘 풀리고, 잘 못 걷고, 어버버하며 다니니 학교에서는 결국 회의가 열린 것 같다. 물론 그거 때문이 아니고 학교에서 자살 시도를 해서 그렇다. 엄마와 아빠도 회의에서 같이 이야기했나 보다. 엄마가 이제 잠깐 학교를 쉬어도 된다고 이야기했다. 그러려니 했다. 자해도 학교에서 하고 자살 시도도 학교에서 했는데 학교에서 애는 정신병자라고 판단을 하지 않을 리가 있나 싶기도 했다. 아무튼 집에 와서 쉬고…. 그러고 일주일이 갔다. 사실상 쉬면서 별다른 일들이 있지는 않았다. 후유증 때문에 어지럽고 공황발작도 겪고 머리를 때리는 자해도 자주 했으며 새벽에 막 울었던 것 같다. 집에서 엄마·아빠를 보면 마냥 괜찮다고는 했지만 사실 하나도 괜찮지 않았다. 자살 기도의 실패 이후 나온 일들의 후폭풍은 매섭게 찾아왔고 결국에는 학교에서 상담 선생님과 조금 더 자주 이야기하는 일들도 찾아왔다. 뭐 이해하기는 했다. 주변 사람들이 나를 걱정하는걸 그제야 알기도 했고….

그렇게 나의 자살 시도소동은 마무리가 났다.

인생에 있어서 나에게 최고의 도파민은 자해밖엔 없었다. 즉각적으로 드러날 수 있는 아픔과 내가 나를 벌한다는 느낌에 자주자주 상처를 남겨주곤 했다. 다른 사람들은 도대체 왜 네가 널 벌하냐는 말을 자주 하지만 나는 솔직히 내가 매우 싫다. 난 인간혐오도 하지만 내 자기혐오도 만만치 않았다. 매우 힘들고 지쳐서 중학교에 들어와서 10kg을 찐 내가 보기가 싫었다. 그래서 벌했다. 왜 그렇게 먹어대냐고…. 자해는 처음엔 호기심, 그다음은 스트레스, 그다음엔 나 자신을 벌하려고, 마지막엔 죽지 못해 살아서 하는 그 루트가 반복되는 것 같다. 점차 나는 모든 것을 그만두고 포기하려 했지만 한 일이 생겼다. 작년 말쯤 나를 교회로 인도해주신 학교 국어 선생님이 6월 말 5번째 주쯤 월요일에 나에게 화를 버럭버럭 내셨다. 내가 작년 말 교회 겨울 수련회에 갔을 때 자해 시도를 했다가 셀 담임 선생님에게 들켜 혼난 적이 있었다. 근데 그걸 아마도 6월 말쯤 이야기하신 것 같았다. 아무튼 국어 선생님이 왜 거기에서도 그럴 수가 있냐고, 너 이제 어린애 아니라고 하시면서 이제는 내가 객관적으로 생각해야 할 때라고 하셨다. 그 이야기를 들을 때 처음엔 무섭고 나에게 처음으로 화내신 거여서 내가 원망스럽고 왜 그랬을까라는 생각이 막 들었다. 하지만 엎어진 물은 주워 담을 수 없는 법. 나는 죄송하다고 다음부턴 그러지 않겠다고 이야기하려고 기다렸다. 그리고 주일날. 나는 예배를 드리면서 울었다. 모든 일들에 대한 죄책감과 내가 진짜로 그랬다는 사실이 믿어지지 않아서 계속 울었던 것 같다. 그리고 선생님이 봉사하시는 유아부실로 가서 조용히 선생님 옆에 앉아서 기다리고 있다가 말을 꺼냈다. 제가 너무 제 마음대로 행동한 것 같다고 이야기하며 죄송하다는 말씀을 꺼냈다. 나는 그 이후부터 생각이 점차 바뀌고 있는 것 같다.

자해는 할수록 기분이 좋지만, 죄책감을 느낀다. 나는 자해가 좋다고만 생각하지 않는다. 나는 지금 자해 흉터를 남들에게 들어내는 것이 싫어지기 시작했다. 그래서 나는 항상 손목을 뒤로하고 다니려 노력한다.

사실 자해는 자기 자신이 깨닫지 않는 한 그만두

지 못한다. 점점 줄여나가야만 한다. 그렇다고 해
서 바로 끊어내지 못한다. 자해를 하는 사람들 모
두 마찬가지일 것이다. 나는 그 끈끈할 것만 같아
못끊어낼 것 같은 밧줄을 끊어낼 것이다. 분명히
언젠가는 끊어질 밧줄일테니까.

나의 스트레스

정말 어릴 때, 6살 때까지는 스트레스를 그렇게까지 받진 않았던 것 같은데 점점 청소년으로 성장할수록 뭣도 아닌 스트레스를 받는 경우가 는 것 같다. 그렇다고 전혀 뭣도 아닌 건 아니긴 한데…. 아무튼 청소년에 들고부터 인간관계에 대해서 스트레스를 많이 받았던 것 같다.

처음에는 친구가 무엇을 빌려달라는 그것에서부터 시작되었다. 처음엔 연필을 빌려달라고 해서 빌려주었다. 그다음엔 지우개, 다음엔 펜, 그다음엔 휴지, 그다음엔 돈이었다. 어릴 때 나는 알겠다고 빌려주었지만, 점점 주겠다는 날짜가 미뤄지며 나는 그냥 포기를 했다. 근데 내가 독촉하면 그 친구가 '나를 싫어할까 봐' 나는 그 어떤 말도 하지 못하고 그냥 가만히 기다릴 뿐이었다. 그러면서 회피하는 성격이 커진 것 같다. 엄마와 싸울 때도 그냥 "미안해"라는 말로 내 진심을 감추는 그런 종잡을 수 없는 패배자가 돼버린 꼴이다.

스트레스라는 작은 암이 커져서 마음에 큰 자리로

남아버려 수술도 못 하고 점점 날 잡아먹어 갔다. 뭐랄까. 내 감정을 드러내지 못하고 남이 원하는 이야기만 하는 게 점점 힘들어져만 갔다. 아부를 떨거나, 옷이 예쁘다고 칭찬을 하면 내가 좋아하는 사람이 나에게 칭찬해줄 걸 아니깐. "고마워"라고 말할 걸 아니깐 더 그런 이야기를 하려고 노력하는 것 같다. 그런데 점점 그런 이야기를 하다가 갑자기 문득 '내가 나한테 칭찬을 해준 적이 있었나?'라는 생각이 들었다. 당신은 나 자신에게 칭찬을 해준 적이 있는가? 당신도 일에 치여 공부에 치여 자책만 하고 전혀 자기 자신도 신경을 쓰지 않는 인간으로 변해가고 있지 않은가? 나는 점점 그렇게 되어만 갔다. 왜 여기서 그랬을까. 왜 여기서 이런 말을 했을까. 라는 생각에 휩싸여져 회오리를 만들어 태풍을 만들어냈고 결국엔 나는 그 태풍에 치여갔다. 아프고 쓰라렸다. 모든 사람이 왜 그러냐고 많이 힘들다고 했을 때도 괜찮다며 나 자신을 숨겨갔다.

나는 나의 스트레스가 점점 커져서 결국엔 이 지경까지 갈 거라곤 생각하지 못했다. 가면을 쓰는

게 인간으로서의 마땅한 도리인 줄만 알았던 나는 누구에게도 말하지 못했다. 결국엔 나는 이야기하기로 마음을 먹고 정신과 선생님께 이야기를 드렸다. 이 선생님도 전에 다니던 병원 선생님이시다. 근데 굳이 그러지 않아도 된다고. 하고 싶은 이야기 해도 된다고 말씀하실 때 그때 딱 느꼈던 것 같다. 아. 굳이 안 그래도 되는구나.

나는 나대로 살고싶다. 나는 나대로 내 감정을 편하게 들어낼 수 있는 그런 사람이 되고싶다.

저는 성장이 더딘 것이 아니라 회복이 더딘 것입니다　27

저는 가면이 많습니다.

전 부분에서 이야기한 걸 조금 더 길게 써보려고한다. 이 책을 보는 당신들에게 물어보고 싶다. 당신들은 가면을 자주 쓰는가? 난 맨날 쓴다. 집에서만 벗는다. 자기 전에만.? 이쯤이면 이해가 안갈 거다. 위에서는 가면이 붙어있다고 그랬는데왜 지금은 집에서만 벗는다고 할까? 이게 사실은좀 복잡한데. 모두 그렇겠지만 집에서는 나도 모르게 가면이 떨어진다. 나갈 땐 습관처럼 가면을써버려서 어쩔 수 없긴 하지만은. 집에서는 그래도 어느 정도 편하게 사는 것 같다. 근데 집이 편안하다고 생각할수록 가족들에게 막대하게 되는면이 생기는 것 같다. 처음엔 내가 조금 예민해서가족들에게 짜증이 나게 굴었을 때도 '가족들이어도 선은 지켜야지'라는 생각을 많이 했는데 점점나이가 들수록 가족들을 아무렇지도 않게 만만하게 보고 대하는 일들이 자주 생기는 것 같아서 나자신을 돌아보게 되었다. 그 이후 집에서 가면을벗고 있을 때도 최대한 가족들에게 피해를 안 끼

치게 이야기하려고 하는 편이다. 가끔 가면을 쓰는 편도 있지만, 최대한 집에서는 편하게 생활하고 서로를 존중하려는 딸이 되려고 노력을 많이 한다. 가면은 나쁜 면도 있지만 좋은 면도 있는 편이다. 그렇지만 나쁜 편이 매우 많다. 제일 중요한 점은, 남이 힘든 게 아니라 내가 힘들어진다는 거다. 점점 내가 나를 갉아먹는 일들이 매우 많이 일어난다는 거다. 힘들다. 지치고, 그렇게 행복한 삶이 만들어지는 것도 아니다. 갈수록 지쳐가는 이 삶을 살아가는데 점점 살아가는 이유가 없어지는 느낌이 매우 든다. 나는 그래서 잠깐이라도 가면을 떼어낼 수 있는 훈련을 하고 있다. 자습을 할 때, 나 혼자 있을 때, 날 아는 사람들이 없을 때 등등 여러 곳에서 잠시라도 편하게 있으려고 노력한다. 모든 성공은 훈련과 노력을 통해 얻어지는 것 같다. 나는 점점 내가 진짜 나를 들어낼 수 있었음 좋겠다. 진짜 나. 행복한 나.

2. 말 한마디와 행동 하나가 한 사람을 변하게 한다.

내가 웃으며 살아왔던 이유

뭐랄까. 항상 남들에게 내가 어떤 사람인 것 같냐고 물어보면 활기차고 밝은 애라고 이야기하고들 한다. 근데 나는 내가 무슨 아이인지 잘 모르겠다. 내 감정과 겉의 감정이 서로 맞부딪혀 이상한 작용을 하기 때문이다.

막 우울해지기도 하고 막 울어버리기도 하고. 여러 가지 일들이 일어나기도 한다. 나는 이제 나도 모르겠다.

한평생 웃으며 살아왔던 이유는 여러 가지였지만 이 이유가 가장 컸다. 다른 사람들을 잃어버리지 않으려고. 다른 사람들이 날 떠나지 않게 하려는 이유가 가장 컸다. 아무렴, 다른 사람의 웃음을 보며 살아가는 나에게 그게 없으면 산 이유가 어떠하리. 뭐랄까 나는 그 웃음을 보는 게 나에겐 낙이다. 내가 좋아하는 사람들이 웃으면 그것만으로도 배부르고, 행복하고, 기분이 좋달까. 하지만 더는 그렇게 살다간 마치 내가 웃어도 이 사람을 위해서 행동하는 것인지 모르겠는 생각이 들어버릴

것만 같기 때문이다. 아아. 행복이란 무엇인가. 참으로 비참한 감정이었던가? 내가 생각하기론 행복이란 것이 그 기억을 특별하게 남을 수 있도록 하는 하나의 장치 같아 보였다. 그래서 나는 조금만 더 그 장치를 나에게 효율에 맞게 바꾸어놓았지만 아무래도 나는 그 바꿔놓은 장치가 고장이 나버렸던 것 같다. 근데 그 장치만은 고장이 났다는 걸 모르고 다른 장치들만 신경을 쓰다가 결국 나는 팡 터질 수밖에 없는 상황을 만들어버리고 있는 것 같다. 뭐. 하지만 나는 결국 그 기계를 고쳐야만 하고 그 기계를 고쳐야만 내가 원하는 효율을 얻기 때문에. 나는 그 장치를 고치려고 노력할 것이다. 그래도, 그거 덕분에 살아가는 건데. 그거 덕분에 내 삶이 만들어진 건데.

말 한마디와 행동 하나가 한 사람을 변하게 한다.

다들 아는 사실일 거다. 이 글을 읽는 당신도 어떤 한 말에 꽂혀본 적이 있지 않나? 나는 여러 말에 꽂혀 참으로 헛된 일들을 겪었고 겪게 했다. 나는 망상이 심했다. 그리고 현재도 심하다. 그렇다고 해서 다른 사람들을 망상으로 인해 이상하게 생각하려고 그러는 것이 아니라 그러지 않기 위해 노력하는 쪽이라 다른 쪽으로 변하진 않는다. 뭐 처음에는 그런 일들도 많이 일어나기도 했다. 지금은 별로 없지만. 아무튼 다시 제목과 관련된 이야기로 넘어가 보자면 나는 엄마에게 "00살이나 먹었으면 이젠 성숙하게 행동해야지"라는 이야기를 많이 들었다. 처음엔 이해가 안 됐다. 근데 점점 갈수록 그 이야기를 생각할 때 마다 강박이 생겼다. '어른들에게 성숙하게 보여야 가족들이 피해받지 않는다'라는 생각이 내 뇌에 찔렀고 그 이후 주변 어른들이나 아는 어른들이 있으면 잘 보이려고 노력했다. 근데 점점 갈수록 버겁고 날이 갈수록 어른들 사이에서 잘 스며들려고 노력하고

눈치를 더 많이 보게 되고. 점점 힘들어져 갔다. 그러면서 점점 피곤해져 갈 때 한 어른께서 나에게 그 이야기를 해주셨다.

"어린애면 어린애답게 철없이 행동해도 괜찮아~"

나는 그 말에 울었다.
아무도 해주지 않았던 말. 그 문장. 모든 것이 나에겐 고마울 수밖에 없었다. 나에겐 그 문장이 마치 축복 같았다. 항상 성숙해서 좋다는 말만 듣던 나에게 이런 말을 해준 사람이 처음이었다. 그래서 더 감사했다.
모든 아이는 축복 받아야 마땅한 존재다. 갱생시킬 수 있는 존재이다. 하지만 그 모든 이유로 인해 그 아이에게 안 좋게 남을만한 이야기를 하는 것은 절대로 좋은 일만은 아닐 것이다.

일과를 마무리한다는 것

같은 시간에 일과를 마무리한 사람들중 누군가는 하루가 일찍 끝났다는 것에 주목하고, 다른 누군가는 '늦게 끝났다' 는 것에 주목한다. 근데 여기서 중요한 점은 결국 같은 시간에 끝난다는 거다. 사실상 어떻게 하루를 보냈느냐에 달려있는건데. 피곤하게 보냈으며 바쁘게도 하루를 보냈다면 난 차라리 그게 피곤하게 하루를 보냈는데 시간이 늦게 가는 것보다 좋다고 생각한다. 뭐랄까. 그게 더 낫다고 생각하는 부분도 있긴 하다. 나는 하루를 바쁘게 살아본 적이 없다. 뭐 물론 바쁘게 산 적도 있겠지만 그게 저녁까지 이어진다는 건 아니라는 거다. 나는 가끔 하루를 바쁘게 살아보고 싶다는 느낌이 크다. 그래서 나는 뭐랄까, 그걸 다르게 푼 것 같다. 자해로 많이 풀고, 날 그렇게 좋게 생각하지 않는 행동을 나 자신이 많이 했다. 그냥 난 그걸 그렇게 풀죽밖에 몰랐고 결국엔 그 방법이 내가 보기엔 그것 말곤 없었으니깐. 그래서 그랬던 것 같기도 하다.

사람이 인생을 살며 남 걱정을 하는 일이 없다고 말할 수가 없다. 아무리 감성적이지 않고 현실적이라고 해도 남 걱정하지 않을 수가 없다. 다양한 일들로 인해 걱정을 할 수 있지만 난 조금 특이케이스였다. 걱정하지 않아도 될 일을 내 일처럼 걱정해 주고 사실상 오지랖이 넓은 셈이었다. 그래서 나는 많이 힘들어했고 그런 일 때문에 피해를 받은 적이 많이 있었지만, 그 많은 일들이 모여서 결국 깨달은 한 가지가 있다. 세상에는 굳이 걱정해야 할 일이 별로 많지 않다는 것이다. 99%의 걱정은 걱정이 아니고 1%의 걱정은 진짜 걱정이라는 말이 있을 정도로 걱정은 그렇게 좋은 생각이 아니다. 그래서 나는 걱정이라는 물건들을 차곡차곡 정리해나갈 것이다. 그것이 나의 숙명이고 나의 인생 마지막까지 남을 약속이기 때문에.

피는 같지만 남입니다

누가 가족이 세상에서 제일 맞는 친구라고 했던가. 그렇게 생각하면 큰 오산이다. 물론 그런 가족들도 있겠지만 우리가족은 아니였다. 서로를 헐뜯고 비난하기 바빴고, 어쩔땐 자신의 이익을 위해 서로를 돕기도 했지만 끝나면 남인 듯이 행동했다. 거의 고시원급이다.

솔직히 나는 처음엔 이런 가족을 피만 같은 남이라고 생각했다. 뭐랄까. 전혀 가족같다고 느껴지지도 않았고 전혀 가족처럼 얼굴이 비슷하지도 않았기 때문이다. 어릴땐 그래도 싸우지 않았던 것 같은데.. 점점 엄마와 아빠는 서로를 헐뜯는 것이 극으로 치달았고 언니들은 지쳐만 갔다. 나는 보는 것이 힘들었다. 나는 더 이상 가족들이 싸우는 것을 보고싶지 않았다. 그래서 난 내 일이 아닌데도 중재하려 노력하고. 차라리 나랑 싸우는게 낫다며 내가 갑자기 화를 내기도 했다. 가족들은 이해 못했다. 왜 니가 그 싸움에 말려들어서 화를 내냐고. 왜 상관도 없는 니가 중재하려고 하냐고.

나는 그냥 내 집에서 편하게 있고싶던 것 뿐이였다.

누군가 우리집에서 싸우는 것도 보기 싫었고 특히나 우리 가족이 싸우는 것이 좋은 것이라고 보기 힘들었기 때문이다. 나는 곧 커지려는 불꽃을 끌려고 물을 부었지만 안된 꼴이긴 하다만. 어느정도 불을 없애려 노력한 것이다. 근데 가족들은 내가 아직 어리다며 그냥 넘어가고, 계속해서 싸우기만 할 뿐이였다. 왜 그렇게나 그러는 건지...도무지 이해가 안갔다.

나중엔 내가 울고불고 하며 더 이상 싸우는겨 보기 힘들고 지치고 힘들다고 하니 그제서야 줄어들고 더 이상 싸우지 않으셨다. (어쩌면 내가 정신과도 가고 약도먹고 자살시도도 하니 줄어드신게 아닐까 생각이 든다.)

어쩌면 가족들이 하는 한마디가 그렇게나 꽂힐때가 많다. 나는 그게 너무나도 힘들다. 그런 죄책감 들게 만드는 엄마의 말이라던지 이야기가 나에겐 내 마음을 분질러 버리는 이야기다. 나는 아직 유리멘탈이긴 하지만 가족들에게는 멘탈이 강한 사람이 되고싶다. 가족들이 아무리 무슨 이야기를 하더라도 그걸 그냥 흘려보낼 수 있는 능력이 있었으면 좋겠다. 그런 사람이 되고싶다.

3. 내게 손길을 내밀어주세요.

저는 성장이 더딘 것이 아니라 회복이 더딘 것입니다   43

저는 성숙한 아이였습니다.

저는 항상 어른들에게 다른 아이들보다 어른스럽다는 이야기를 들으며 자랐습니다. 그런 이야기를 밥을 먹듯이 들으며 자란 저는 순간마다 예의를 갖추며 노력하려고 했습니다. 그럴수록 어린아이라는 폭죽은 빠르게 꺼져갔습니다. 폭죽은 사용량을 다해갔고 결국은 더는 남아나지 않았습니다. 어른이란 폭죽은 어떤 것일까요. 아주아주 오래가지만, 사용감이 좋지 않은 폭죽일까요. 청소년이란 단어는 24살까지 쓸 수 있다고 어떤 한 블로그에서 들었던 것이 있었습니다. 하지만 머리에 잠식되어버린 성숙이란 폭죽은 이미 들어와 버린 것일까요. 전혀 꺼지지 않고 폭죽을 터트립니다. 밤하늘을 꾸며주긴 하지만 그렇게 예쁘진 않은 것 같습니다. 저는 아직 청소년이라는 폭죽을 가지고 있습니다. 1년의 폭죽이 3개나 남아있습니다. 하지만 그 폭죽들은 전혀 새것 같아 보이지 않습니다. 많이 피폐해졌고 아직 쓰지 않았음에도 거의 다 써가는 듯한 폭죽과 맞먹는 것 같습니다. 저는 어린아이라는 폭죽을 많이 좋아했습니다. 많이 쓰고 싶어 했고 그 폭죽의 기억은 전혀 잊히지 않습니다. 하지만 그것은 결국 기억일 뿐 남아있지 않다는 걸 압니다. 저는 성숙하고 싶지 않습니다. 분명 좋은 점도 많지만, 저도 애처럼 투정 부리고 싶고 애교도 부려보고 싶고 철도 없었으면 좋겠습니다. 한편으론 이렇게 커버린 제가 너무 씁쓸합니다.

그래서 솔직히 학교에서 애들을 볼 때마다 한편으론 철없는 게 정말 이해가 안 되지만 또 한편으론 그런 철없는 모습이 부럽기도 합니다. 아무 생각 없이 놀 수 있고 앙탈 부릴 수 있는 나이. 저도 그런 나이긴 합니다만 나중에 저를 온전히 받아주는 사람이 있다면 앙탈은 한번 부려보고 싶네요. ^^;

내가 바랐던 일들

어릴 땐 뽀로로 만나기, 초등학생 땐 도티 만나기를 꿈꿨고, 중학생 땐 '가족들이 건강했으면 좋겠다'라는 생각을 했다. 어릴 때나 지금이나 이루어질 수 없는 소원을 비는 것 같다. 뽀로로는 실존하지 않고, 도티는 바빠서 나 하나 못 만나줄 테고. 가족들은 자기 몸 부서질 때까지 일하고 셋째 언니는 건강 신경 안 쓰고 공부하는데 어디 남아나겠나. 나는 항상 이루어질 수 없는 소원이란 걸 알면서도 항상 생일날마다 이루어질 수 없는 소원을 빈다.

항상 했던 착각

나는 항상 '그래도 괜찮겠지?' 라는 쓰레기 같은 착각을 한다. 그게 전혀 좋은 생각이 아님을 알면서도, 그게 전혀 좋은 행동이 아님을 알면서도. 그래도 그런 착각을 한다. 그래도. 아무리 그 끈이 가느다란 실이어도. 결국 줄이긴 하잖아. 그래도 붙들어보려고는 하는 거잖아. 나는 그래.

말 한마디

고맙다는 말 한마디, 사랑한다는 말 한마디. 그게,
그게 제 행복이에요.

내게 손길을 내밀어주세요.

내게 손길을 내밀어주세요. 그 손이 어떤 길을 거쳐왔고 어떤 험난한 길을 거쳐왔는진 모르지만. 저는 그 손길이 저에게 큰 도움이 되어주실 거란걸 알아요. 당신의 손길 한번이 저에겐 크나큰 행복입니다.

손길을 내밀어줬던 어른들에게

저 있잖아요. 저 생각보다 많이 괜찮아지고 있어요. 자해도 지금 잘 참고 있고요. 죽고 싶은 마음도 별로 없어요. 이거 다 선생님 덕분이에요. 저 많이 죽고 싶었고 힘들어서 죽으려고 계획 짜고 있었을 때, 선생님이 건넸던 말 한마디에 속절없이 눈물이 터졌어요. 또래 애들도 이해 못 해주는 내 이야기를 이해하고 공감해주는 선생님이 너무 감사했어요. 저에게 굳이 써주지 않아도 될 그 다디단 웃음을 저에게 써주시고 굳이 써주지 않아도 될 그 공감을 저에게 써주신 게, 그게 너무나도 감사했어요.

저는 아직도 자기 전에 선생님 생각이 나요. 다른 선생님들 생각도 나고요. 전 항상 계속해서 자기 전에도 선생님이 저에게 학교에서 말씀해주셨던 문장들을 곱씹으며 자요. 전 아직도. 전 아직도 살아가는 이유가 선생님 보려고 살아가는 거예요. 소중한 사람들을 볼 수 없으면 죽어도 죽은 게 아닌 것 같으니까. 근데 선생님 저 계속 울 때 조용히 기다려주시고 조용히 괜찮다고 이야기해주시는 그 모습이 참 부모님 같았달까요. 내가 무슨 모습을 보여도 포용해줄 수 있는 그런 능력이 있는 사람같이. 그래도 선생님이 참 저에겐 기억에 남을 스승님이나 다름없어요. 선생님. 저는 선생님의 그 손길 하나에 모든것을 걸고 잡았지만 지금은 그 모든 것을 건 덕분에도 있지만 계속해서 "넌 할 수 있어"라는 말을 해주신 덕에 제가 직접 노력해서 이 고비를 넘어갈 수 있었던 것 같아요. 전 지금도 아직 힘들 때도 있고 슬플 때도 있고 외로울 때도 있지만 선생님을 생각해요. 선생님. 선생님은 참으로 좋은 스승이세요. 말하진 못했지만, 그 손길이 배가되어 그 손길을 받았던 제가 그 손길을 내어줄 수 있는 사람이 되어 좋은 사람으로 다시 살아가는 모습 보여드릴게요. 꼭.

길을 걷다 보니 절벽이었습니다.

나는 내 인생의 한 치 앞도 알지 못했다. 당연하다고 생각하긴 하겠지마는 이건 모두가 쉽게 상상해볼 수 있는 나의 미래에 관한 생각이라는 것이다. 근데 난 그런 건 전혀 하지 못했다. 학교에서 나의 미래의 모습을 상상해보라고 했을 때도, 엄마가 나에게 커서 뭐가 되고 싶냐고 물어봤을 때도 나는 아무 대답도 할 수 없었다. 그만큼 나는 나의 미래에 대해 상상해볼 수 없는 상태였다. 나는 그래서 현재만을 살아왔다. 내 앞의 상황만 생각했고 내 현재 상황만 예측해서 생각해왔다는 것이다. 나는 그래서 계속해서 작은 고깔을 얼굴에 쓰고 어찌어찌 걸어가다 발밑에 뭐가 걸려서 고깔을 벗어보니 눈앞엔 절벽이었다. 그렇다. 나는 어느새 절벽 앞에 서있었다. 나는 내가 절벽인지도 모르고 앞만 보고 걸어가다 그제야 안 것이다.

나는 항상 불안했다. 그래서 회피만 하고 살았다. 그러면서 미래를 상상하지 못했고 결국 나는 나의 미래도 회피하려 했지만 결국 원하는 대로 피하지 못했다. 나는 그런 나를 바라봤다. 전혀 좋아 보이지 않았다. 그래서 나는 그런 내가 싫었다. 그러면서 계속 회피를 해왔다. 하지만 절정에 도달했을 때쯤 나는 나를 받아들였고 나는 그런 나를 인정하기로 했다.

"난 분명히 더는 회피하지 않을 것이다"라고는 말을 못 하겠지만 현실에 부딪힌 상황에 그래도 받아들일 수 있는 사람이 되고 싶다.

포기하는 아이

도전하는 아이란 무엇인가. 나는 어릴 때부터 도전을 좋아했다. 모든 상황과 이야기에 호기심을 가졌고 해보고 싶다는 생각을 자주 했다. 어릴 때의 나는 꿈을 꾸었고 그 꿈을 도전하기 위해 큰 노력을 했다. 하지만 점점 성장해갈수록 도전하는 아이는 실패를 자주 했다. 많이 힘들어하기도 했고 그래서 다시 도전해보기로 했지만, 점점 더 주눅이 들어갔고 결국 도전하는 아이는 포기하는 아이가 되었다. 나는 포기하는 아이가 됐다. 나는 모든 일들에 호기심을 가지지 못했다. 단지 인간에게만 호기심을 가졌을 뿐이지 상황이나 일들에 호기심을 가지진 못했다. 가끔 호기심이 나더라도 '어차피 실패한다' 라는 인식이 사로잡혀 있던 나는 항상 포기해댔다. 쉽게 할 수 있는 일들임에도 불구하고 나는 도전하지 못했다. 나는 점점 좌절해갔고 내 몸마저 포기해가는 상황이 이어졌다.
나는 모든 일들을 포기하고 싶어졌다.
그래서 나는 인생을 포기하기로 했다.

한참을 고민했다. 포기해도 되는 건지. 그러곤 결심했다. 포기하기로. 그래서 나는 포기하려고 두번의 자살 시도를 했다. 참. 이것도 포기 시도라고 해야 하는 건지 도전이라고 해야 하는 건지. 아무튼 나는 여러번의 자살 시도 이후에 결국 깨달았다. 이것 또한 도전이라는 것을. 나는 포기하는 것이 아니라 계속해서 시도하고 모든 일들을 도전했다는 것을. 그게 아무리 안 좋은 선택이라고 하더라도 그것 또한 도전이었다는 걸 나는 나중에서야 알게되었다. 나는 그것이 어리석은 포기라는 것을 안다. 하지만 그것 또한 도전이라는 것도 안다.

모든 일들은 항상 도전한다. 시도하고, 새로운 것을 얻어낸다. 모든 인간은 항상 도전하고 시도한다. 절대로 포기하는 사람이란 없다. 도전하는 사람만 있을 뿐. 나는 앞으로 도전해나갈 것이다. 할 수 없어도, 어차피 앞으로의 인생도 도전이니깐.

썩은 동아줄 잡듯이

동아줄은 항상 우리에겐 희망이다. 여지이고, 마지막 선택이기도 하다. 하지만 그 선택이 그렇게 좋지 않을 때가 있다. 마치 썩은 동아줄 잡듯이.

나는 썩은 동아줄을 잡아댔다. 그게 썩은 동아줄인지도 모르고. 난 그 동아줄이 아주 끈끈하게만 느껴졌다. 솔직히 나는 그 동아줄이 나에게 악영향을 끼치는지도 모르고. 처음엔 머리카락을 뽑으니 스트레스가 풀리는 것 같아 머리카락을 뽑았다. 그다음부턴 아파서 그만뒀지만, 그 다음엔 커터칼이었다. 그 다음엔 약이었고 마지막엔 줄이 끊어졌다.

나는 그제야 그 동아줄이 썩은 동아줄인지 처음 알았다. 지금 보니 내 팔은 흉터가 생겼고 몸에겐 엄청난 악영향을 끼쳐 망가져 버렸다. 약도, 커터칼도, 전혀 동아줄이 아니었다. 나는 그렇게 썩은 동아줄을 잡듯이 살아버렸다.

이걸 쓰는 지금은 다행히도 나아지고 있지만 또 그런 동아줄을 잡을까 내심 걱정도 된다. 그래도 새로운 경험해봤다고 생각하련다.

5. 저는 성장이 더딘 것이 아니라 회복이 더딘 것입니다.

저는 성장이 더딘 것이 아니라 회복이 더딘 것입니다　59

그네를 타며 비를 맞았다.

언젠지는 기억이 안 나지만 초등학생쯤 아파트에서 살 때 아파트 근처에 공원이 있었다. 그 공원에는 그네가 있었는데 그날에는 비가 무수히 와서 사람이 아무도 없었다. 그때의 나는 비를 맞아보고 싶었다. 모든 것을 포기하고, 모든 짐을 두고 한밤중에 비가 소나기 오듯 올 때 나는 비를 맞아보고 싶었다. 검은 반소매 티에 긴바지 하나만 입고 나가서 그네를 쉼 없이 탔다. 즐거웠다. 아무도 없는 이 가운데 아무도 신경을 안 쓰고 그네를 탈 수 있다는 그 기분이 말할 수 없이 기뻤다. 당신은 그런 행동을 해본 적 있는가? 아무도 신경을 쓰지 않고, 마음껏 당신이 원하는 행동을 한 적이 있는가? 나는 이런 일들을 어릴 때만 할 수 있다는 사실이 전혀 믿어지지 않는다. 어릴 때의 특혜? 뭐 있을 순 있다. 하지만 난 어른이 되어서도 내가 하고 싶은 일들을 할 수가 있길 노력할 것이다. 어른이 되어서도 나는 내가 하고 싶은 일을 하며, 내가 하고싶은 취미를 하고싶다.

저는 성장이 더딘 것이 아니라 회복이 더딘 것입니다.

저는 성장을 하려고 태어난 건 맞지만 저의 정신은 아직도 성장하지 못하고 있습니다. 몸은 성장해가고, 뇌도 성장해가지만, 저는 아직도 초등학교 6학년에 머물러있는 느낌입니다. 아직도 저는 제 마음을 모릅니다. 아직도 저는 제 기분을 모르고 항상 울어대기만 하는 초등학생만 같습니다. 하지만 저는 회복해가고 있습니다. 의지하던 사람이 없어졌더라도, 내 옆에 누군가가 떠나갔더라도 처음엔 울었지만, 이제부턴 어떻게 살아야 하는지를 알아가는 제가 잘 회복하고 있는 것만 같습니다. 저는 성장을 바라지 않습니다. 물론 필요한 성장도 있겠지요. 그렇지만 큰 성장보단 상처가 잘 메꿔져 낫고 있는 회복인 상태가 저는 더 좋습니다. 어릴 때의 상처는 어른들보다 더 빠르게 회복한다고 합니다. 그래서 저는 어른이 되어 회복을 느리게 하는 것보단 지금 회복을 먼저 하는 것이 우선이라고 생각되어 회복하는 것이랍니다. 저는 그래서 회복할 겁니다. 그리고 그 이후 저의 성장에 도움이 되도록 노력할 겁니다. 물론 잘 될지 모르겠지만. 일단 회복부터 하고싶은 것이 제 마음입니다.

당신이 소중한 사람이란걸 느꼈습니다.

나는 당신을 만나며 당신이 소중한 사람이란걸 느꼈습니다. 당신을 점차 만나면서 당신이 다른 사람을 배려할 줄 아는 사람이라는 것을 깨달았습니다. 사실 나는 당신을 얼마 만나지는 못했지만, 그동안 만나오면서 생각이 들었던 내용들은 당신은 배려받아야만 할 마땅한 존재라는 것을 느꼈습니다. 당신의 말투, 배려하려는 행동과 말, 그 모든 것들이 당신들을 일구어내며 당신을 배려받아야만 할 마땅한 존재로 끌어낸 것이란 것을 알았습니다. 그래서 나는 당신을 만날 때마다 좋은 웃음으로 만나며 인사하기로 했습니다. 당신은 그렇게 축복받을만한 존재입니다.

상처

난 누군가에게 상처를 잘 못 준다. 그러니깐 "남들"에게 상처를 잘 못 준다. 그래서 난 스트레스를 받을 때마다 나 자신에게 상처를 낸다. 허벅지, 팔, 손등에 여러 가지 상처를 내며 날 다그쳤다. 근데. 그런데···. 생각해보니깐 난 나 자신한테 칭찬해준 적이 없더라. 그렇다고 해서 바로 칭찬해주려 해도 안 와닿더라, 그래서 난 매일매일을 웃으려고 노력하고 있다. 웃으면 없던 감정도 생겨서 행복해질까 봐 그러다 내 감정을 숨기게 됐다 점차 모든 사람에게 내 감정을 안 드러내고 새로운 감정들을 넣어 보여주기 시작했다. 다들 좋아했다. 행복했다. 그래서 집에 오면 무기력함이 날 덮었다. 울다 지쳐서 눈물도 안 나더라, 그러다 내 인생에 새로운 인물들이 등장하고 많은 인물이 나에게 도움을 줬다. 노력하려고, 앞으로 나아가려는 시도를 하게 해준 인물들이 너무 많았다. 셀 순 없지만, 그 사람들은 나의 역사에 길이 남을 것이다. 지금도 그 인물들과 새 역사를 써 내려가고 있다.

당신에게 소개해주고 싶었던 시

(창작해낸 시도 많습니다)

저는 성장이 더딘 것이 아니라 회복이 더딘 것입니다

바나나우유

집에 된장찌개 냄새가 솔솔 나던 저녁
소파에 앉아 거실벽에 붙어있는 텔레비전을 켜
혼자서 텔레비전에 나오는 애니메이션을 본다

주방에선 엄마가 애호박을 자르는 소리가 들리고
작은방에선 셋째 언니가 공부하는 모습이 보인다

띡.띡.띡띡. 띠 리릭~!
도어락 소리가 울려 현관문을 쳐다보니
일을 마치고 온 우리 아빠
아빠와 내가 서로 한참을 웃으며 부둥켜안았다

아빠가 들고 온
작은 바나나우유 하나에도 행복해하며
고사리 같은 손으로
바나나우유에 빨대 꽂아 먹었을 때
그때의 기억을 난 못 잊는다

어릴 땐 그 바나나우유에
아빠의 힘듦이 얼마나 섞여 있는지
어릴 때의 난 전혀 몰랐다

시간

내 시간이 얼마나 소중한지 알면서도
당신에게 쏟아붓는다는 건

그건 내가 당신을 소중하게 아껴서 그런 것이다.
그건 내가 그만큼 당신을 사랑한다는 것이다

구름빵

어릴 땐 하늘을 쫓아 구름을 먹고 싶었다
어릴 땐 구름으로 만든 빵이 그렇게나 먹고 싶었
다.

엄마에게 앙탈 부리며
나도 구름빵이 먹고 싶다고 했다.

자고 일어나니 내 앞에 놓여있는 빵 하나
구름빵이라고 적혀있더라

신이 나서 봉지를 뜯으려 봤는데
밑의 글씨가 보였다.

"제조사: 파리바게뜨"
그 후 난 동심이 사라졌다

당신을

아낀다. 당신을
사랑한다
내 앞에 서 있는 당신을

좋아한다
행복해하는 당신을

고맙다
날 보며 웃는 당신

구원자

모든 나날이 패배자였던 나를
항상 모든 것이 좌절이었던 나에게

손길을 내밀어주었던 당신을 만나고
나는 그때부터 새 삶이 시작됐다

패배자였던 내 삶에
행복이라는 씨를 내밀었던
내 삶을 망쳐줄 구원자

그것이 당신이었다

마음

마음을 두고 싶어서
마음을 고르게 잡아주고
화병에 넣어줬더니
그새 시들어버렸더라

어쩔 수 없이
나는 시들어버린 마음을 버리고
또 새로운 마음으로 채워 넣었다

또 시들어버릴 걸 알면서도

실

너한테 웃음도 주고
행복도 주려고 다 해봤는데
너는 결국엔 나한테 아무것도 안 주더라

근데 나는 속상한데도
너한테 화조차도 못 내겠더라
너무 좋아해서

그래서 삐진 거라도 티 내보려고
속상한 거라도 조금 이야기해봤는데
넌 전혀 들은 체도 하지 않더라

그래서 나는 더는
너한테 아무것도 안 바라려고

그래서 나는 더는
좋아하는 것에 선을 두려고

결국 이어질 연은 아니었으니깐

도로위의 비닐

버스정류장 의자에서 홀로 앉아있는데
도로에 비닐이 홀로 흩날리며
차에 밟히고선 또 흩날려지더라

너에게도 홀로 흩날리며 가는 나처럼
나도 결국 홀로 흩날려지며 가는 비닐처럼

정해져 있는 운명처럼
결국 정해졌던 운명처럼

너에게 흩날려지진 않더라
너에게 흩날려가진 않더라

결국 또 나는 사방을 찾아
너에게로 헤매겠지

한 국자

어릴 때 엄마가 끓인 국을 뜬
국자 한 숟가락을 후루룩 마시면
어째 긴장된 속이 풀렸다

배시시 웃으면서 행복해하며
한 국자만 더
한 국자만 더 하다가
결국 한 그릇을 퍼먹는다

그 한 국자에 엄마표 비밀 가루라도 들어갔는지
난 그렇게나 행복하게 먹어댔다

나에게도 꿈은 있었다

나에게도 꿈은 있었다
모든 일에 배려를 베풀어줄 수 있는 사람
지혜에 힘써 다른 사람들을 도울 수 있는 그런 사람

그런 사람이 되는 것이 꿈이었다

하지만 한낮 사회의 무심한 시선은 어떠한가?
사회의 행동 하나하나가
모든 인간의 생각을 조종했고
모든 사람의 가치관을
녹아가는 얼음처럼 만들어갔다

나는 그래서 녹아가는 얼음이 되어버렸다

알아도 모르는 사이

늑대들은 서로의 외모에 신경을 쓰며
항상 나를 가꾸면 누군가 자신을 사랑해줄 거란
달콤한 솜사탕 같은 상상을 해대며
자신의 수염과 털을 매끄럽게 정리했다.

하지만 그 어두운 이면은 무엇인가?
그 부드럽고 깨끗한 가죽 속의 이면은 무엇인가?
그 이면은 차갑기도 했고 매우 불완전하기도 했다

늑대들은 자기 외모를 가꿔
서로의 몸을 보며 판단하기에 이르렀고
결국 속의 내면은 보지 못했다

그렇게 서로를 알아도
서로를 모르는 사이가 되어버렸다
알아도 모르는 사이로

연필

연필은 누군가 자신을 사용해주길 바랐다
매끄럽게 다듬어주고, 예쁘게 정리하고
부드러운 종이에 자신을 써주길 바랐다

하지만 그 누군가도 자신을 사용하지 않았다
자신보다 더 사용감이 좋고
더 편리한 샤프나 펜 따위를 사용하고 있던 것이
다

연필은 허망했다.
그 누군가도 이젠 더 이상
나를 찾아주지 않는다는 사실을

연필은 점점 조용히
조용히 썩어갔다

휘어질 때까지 결국 썩어갔다가
자연으로 돌아갔다

너를 보면

너를 보면 반갑다
해맑게 웃으며 나를 향해 걸어오는 그 모습이
나에겐 나에게 달려오는 레트리버 같기만 하다

너를 보면 행복하다
내 앞에서 이야기하며 웃는 너를 볼 때마다
항상 나는 어린아이를 보는 것만 같다

너를 볼 수 있음에 감사하다
너를 보는 행복과 반가움이 쌓여
너를 만날 때마다 세상을 사는 데에 감사함을 느
낀다

너는 그런 존재다. 너는 그런 사람이다.

새해

새해가 날 반긴다
날 보고 행복한 듯 밝게 빛난다.
고맙긴 하다

이번 연도는 어떻게 살아갈 거냐고 묻는 너에게
나는 이번 연도는 평안하게 살아갈 그거라고 말했
다

무조건 내 꿈은
평안하게 사는 거거든

시간

시간이 흐른다
속절없이 시간은 똑같은 매시 분 초에 맞춰
자기의 자리를 찾아간다

잡으려고 다가가 보지만
손에는 아무것도 잡히지 못하고
또 결국 속절없이 흘러간다

조금만 더 이 시간에 머물러있어지고 싶은데
조금만 더 이 시간에 갇혀있어지고 싶었는데

하루

하루가 마무리될 때마다
후회와 아쉬움을 남기고
잠자리에 떠나곤 한다

그러면 이별과 마무리하며
하루를 되짚어 보기도 한다.

하루를 되짚으면
그때의 행복감이 다시 느껴지기 때문에
그렇게 나는 행복하게 잠자리에 든다

마지막 문자

탁…. 타다닥 탁탁.
문자를 꾹꾹 눌러쓴다

"미안해요. 엄마"
"고마워요. 아빠"

역사

당신은 누군가에게 잊히지 않을 존재다
당신은 어쩌면 한 사람의 인생 속에서
역사적 인물로 등장했을 수도 있고

어쩌면 한 사람의 인생속에서
위대한 혁명가로 등장했을 수도 있다

어떤 것이든 괜찮다
당신이 그 누군가의 역사 속에서
기억될만한 페이지로 기록되길 바란다

달려오는 너

나에게 달려오는 너를
차마 밀어낼 수 없다.

그 기분 좋은 웃음을 내는 네가
나에게 행복을 안겨주기 때문이다

오늘도 너를 그렇게 받아들이고
오늘도 그렇게 너를 안는다

오늘 하루

괜찮아 잘 해냈어
그 정도면 충분해

오늘 너의 할당량은 거기까지야
이미 거기까지 마무리했단 건
네가 일을 열심히 해내서 그래

집에 가서 네가 보고 싶었던 드라마도 보고
따듯한 물로 샤워도 하고
포근한 이불에 누워 잠을 청하자

그게 너의 마지막 점검표야

저는 성장이 더딘 것이 아니라 회복이 더딘 것입니다

불안

"야 너 불 안 끄고 나온 거 아냐?"
에이, 꺼져있겠지
..꺼져있을 거야
...진짜 안껐나?

걱정되어 달려간다
점차 불안해진다.

"...아…. 꺼져있네."
오늘도 어이없는 불안을 소비했다

물

샤워를 할 때마다
물에 덮이는 그 느낌이 좋다
맨몸으로
그 수치스럽고 걸레짝과 다름이 없는
거지 같은 내 몸을

물은 괜찮다는 듯이
날 기꺼이 받아준다
눈을 감고 손으로 코로 흐르는 물을 막아
점차 점차 숨을 쉰다

마치 날 온전히 받아줄 수 있다는 듯이
물은 날 감싸 안아준다

행복하더라 그 느낌이
기분 좋더라 그래서 더

그래서 난 물이 좋다

행복

나에게 행복은 작은 게 아니에요
나에게 행복은 내 기억 중
최고로 좋았던 새로운 기억이 앞으로
계속해서 기억된다는 것에요

그러니깐 나와 행복을 함께 만들어주세요

그러니깐 나와 행복을 함께 만들어주세요
앞으로도 기다릴게요

길

어쩔 때 길을 지나갈 때마다
너의 내음이 풍겨와
내 코끝에 스쳐 간다

몇년동안 그 냄새를 맡았다
너와 다니는 동안 하루도 빠짐없이

행복했었다
너란 내음을 맡을 때
나는 너를 느낄 수 있었다
물론 겨우 향수, 샴푸,
섬유유연제 냄새 따위였겠지만

난 너의 그 특별한 냄새가 따뜻하고 포근하게 느
껴져
잠시나마 행복해진다
너의 온기가, 너의 체향이
온전히 전해져 온다

그렇게 나는 행복을 만끽했다

노력의 성격

걸음걸이가 묵직했던 그 선생님
그 선생님은 항상 점잖으셨다
어쩔땐 말끔한 정장 차림에
도 언제는 캐주얼한 옷을 입으시고,

뭐랄까, 생각보다 듬직하셨다

나는 그 선생님을 항상 밝게 불러드렸다
그럴 때마다 시크하게 인사해주시는 게 좋아서
난 항상 인사해드렸다

사람의 성격은 다양하다
하지만 그 선생님의 성격은
아이들을 가르치며 일구어온
노력의 성격이었다

그래서 난 그 선생님이 좋다

종이

종이가 필요하다길래
내 종이를 조금 떼어줬다
그 아이는 고맙다고 싱글벙글하며
떠나갔었다

기분이 좋았다
남에게 내 종이를 조금 찢어줬는데
좋아해 주는 모습을 보고 뿌듯했다
다른 친구들에게도
어른들에게도

필요하다고 할 때마다
없는 종이도 만들어내어 줬다

그렇게 하루하루 보내던 어느 날
휴지통을 봤다

처참하게 구겨져 버린

내 종이들을 봤다
소중하게 써줄 줄 알았는데….

비참하게 느끼며 내 종이를
하나 꺼내어 쓸려고 했는데
종이가 없더라.
점점 공허해져 버려
나는…. 나는...

비를 맞았다.

소나기처럼 비가 쏟아질 때
나는 길을 걸었다

온몸이 축축해져
누군가라도 잡고서
온기를 나누고 싶었다

근데 아무도 잡을 수 없었다
지나가는 그 누구도 잡을 수 없었다

"두려워서" 였다

덜덜 떨며
나는 또 혼자

그렇게 또
비를 맞았다

어른이 되면

난 다 큰 어른이 되어
자가인 집도 있고, 차도 있고
돈도 많으면

강아지를 하나 키울 거야, 골든레트리버
그리고 같이 여행 다닐 거야

이름도 추추라고 지을거야.
추추-! 하며 열기를 내뿜으며
저 푸른 초원을 달려나가라고

.

.

.

기쁜 상상이였네

사진첩

"아…. 보고 싶다"
사진첩을 열어 너의 사진을 본다

부질없는 걸 알면서도
나 혼자 좋아한다

썩은 동아줄은 비웃으며
아직도 안 끊어진다
아니지
안 끊어준다

도대체 언제 끊어주는 걸까?

전화 한 통

너 혼자 울지마
너 혼자 그 쓰디쓴 눈물을 삼키지 마

지금 네가 그 방에 혼자 있다고 해서
절대 혼자가 아니야

너 혼자 아픔을 삼키지 마
지금 전화기를 켜서
네가 좋아하는 사람들에게 전화해

괜찮아
전화 한 통 해보자

편안한 대화

나는 현재 중학생이지만
어릴 때나 지금이나
나와 동갑이나 후배들 보다
연상이나 어른들과 대화하는 게 더 좋았다

그 사람들의 인생살이가 담긴
말들이나 예의들이 담긴 행동들이
나에겐 대화에 편안함을 주었다

나는 공부보다 책 읽기
상식적인 대화 수단보다
서로의 편안한 대화가 좋았다

본연의 인간

짙은 쌍꺼풀에 큰 눈
짙은 눈썹에 오뚝한 코
붉은 입술이 너의 특징이다

모든 것은 너를 위해
너만을 위해 돋보이려 노력한다

윤기 나고 생기있는 너의 머리카락은
너의 향기를 돋보이게 한다

항상 네가 들어올 때마다
나는 너를 느낀다

너는 그렇다
너는 완벽한 본연의 인간이다

이어폰

이어폰을 낄 때마다
세상의 소리가 안 들리는 느낌이

마치 나와 세상이 잠시 단절된
나와 다른 세상 같아 편안하다

노래를 듣는 것이
나의 유일한 행복이다

1m

1m 안에서 다가가도
나는 당신을 만지지도 못한다

잠깐 어깨를 두드리는 것 말곤
모든 손길을 거치는 것이 두렵다
네가 싫어할까 경멸할까

두렵고 초조하기만 해서
조용히 당신의 얼굴만을 쳐다본다.

그래도 그것만이라도
난 다행이라고 생각한다

그대 얼굴을 볼 수 있음에
또 한 번 감사하다

마음대로

네 마음대로 해
너 하고싶은대로 해

그때가 난 행복했어
내가 비참해지더라도 널 응원할 테니

그러니
네 마음대로 해

바다

그 사람은
날 온전히 받아주는 사람이었다
다른 사람들을 포용하면서도
분명 상처받았음에도 불구하고

그 사람은
그래도 모든 사람을 완전하게 포용해준다
추울 때는 많은 노을을 보여주며
나와의 추억을 만들어주었다

그런 당신에게 안기고 싶다

점점 안겨
그 차가고도 부드러운 품속을 느끼며
편안하게 잠겨보고 싶다

하지만 그건 좀 나중에 하자
우린 추억을 좀 더 쌓아야만 해

지하철

항상 널 볼 땐 기분이 좋았어

지하철에서 네 옆에 앉아
가만히 다음 역을 쳐다보는 너의 옆모습이
참 곱고 부드럽더라

난 그냥 이 시간이 멈췄으면 좋겠어

전철

넌 점점 몸이 늙어가고
낡아 빠져가는 데도
달리더라 끝없이

달리면서도
남들에게 목적지까지 데려다주는 걸 보면
넌 참 진정한 택시 기사 같네

앞으로는 건강 더 챙기고,
치료도 받으면서 달려
네 덕분에 사람들이 살아가니깐

나뭇잎

나뭇잎 솔솔 흔들리며
따뜻한 햇살 아래에서
벤치에 앉아 널 볼 때면

아….
참 예쁘다

손을 뻗어도

손을 뻗어도
손을 잡으려 해도
결국 너에겐 닿지 않는다

분명 넌 눈 앞에 있는데
당신이 눈앞에 보이는데
결국 잡질 못한다

차가워진 내 손을
따뜻하게 잡아주던 네가

마지막엔 차가워진
네 손을 내가 잡아주니

미안하다 너에게
너무….

추억

우리 초등학교 1학년 때 있잖아
저녁에 학교에서 하는 독서캠프 때문에
너랑 나랑 너희 어머님이랑
같이 모여서 책을 읽었잖아

나 그때, 다른 사람들 다 같이 모여있는데도
왠지 너랑만 있는 기분이라
진심으로 행복했어

진심으로
그때 추억 만들어줘서 고마워
넌 어딜 갔는지 모르겠지만
행복하길 바라
꼭

수정

"죄송합니다! 다시 해오겠습니다!"

.

.

"죄송합니다! 고쳐서 다시 오겠습니다!"

.

.

"다시 수정해올 부분 있을까요?"

.

.

"괜찮나요?. 괜찮다고요? 감사합니다!"

수정 같은 사람들이 있어야만
수정할 수 있고
수정 같은 사람들이 생겨야만
그 수정은 빛이 난다

8. 에필로그(글쓴이의 말

저는 성장이 더딘 것이 아니라 회복이 더딘 것입니다

짧지만 굵은 내용의 글을 쓰고 싶었습니다. 처음엔 내 이야기를 적는 것이 선뜻 좋지만은 않았습니다. 하지만 이 글을 쓰면서 다른 사람들에게 나의 이야기를 읽으면서 자신만의 시간을 가졌으면 하는 생각이 들었습니다. 그래서 조금이나마 저의 이야기와 글을 써봤습니다. 당신도 성장이 더딘 것이 아니라 회복이 더딘 것이니깐요.

그리고 이 책을 쓰는 건 저 덕분이 아니라 모두의 덕분과 주님의 인도가 있었기에 쓴 그것으로 생각합니다. 모쪼록 저는 그 인도가 있었기에 회복의 과정을 거치고 있다고 생각합니다.

아무튼 저는 살아가면서 여러 어른분과 선생님들께 도움을 많이 받았습니다. 아무래도 절 보는 거의 대다수가 선생님들이기 때문이랄까요. 저는 큰 축복을 받았다고 생각합니다. 6학년 때부터는 담임선생님 복이 타고난 것 같습니다. 항상 제 이야기를 귀담아들어 주시고, 힘들다 포기하고 싶다 이야기할 때도 끈을 놓치지 않고 잡아주신 분이 6학년 선생님이시기 때문입니다. 항상 감사하다고 느끼고 있습니다. 또 중학교 2학년 때 담임선생님도, 감사하다고 여기고 있습니다. 중학교 때 힘듦을 이해하고 토닥여주셨던 2학년 담임선생님. 2학기 말부터 극도로 심해진 우울증을 낫게 하려고 도와주셨던 국어 선생님도. 저는 잊을 수 없습니다.

현재 3학년 담임선생님을 해주고 계신 선생님, 제일 고역이셨겠지만 그때마다 화를 내지 않으시고 저에게 감동되는 말과 괜찮다고 토닥여주시고 안 되는 건 안 되는 것이라는 걸 잘 알려주신 현재 담임선생님에게도 감사드립니다.

자해하지 말라고 다그쳐주시고 제 감정을 헤아려주려 하신 체육 선생님도, 자해를 보고 치료하려 상담실로 데려가신 도덕 선생님도, 선을 되도록 지키며 도와주려 해주셨던 음악 선생님도. 끊임없는 용기와 힘을 나눠주셨던 슬픔을 닮으셨던 영어 선생님도. 매일매일 열심히 일하시면서도 저에게 살아갈 용기를 주셨던 영어 선생님도, 너무너무 힘들어서 울 때 조용히 지켜주셨던 역사 선생님도, 곧 죽을 것만 같을 때 옆에서 지켜주셨던 미술 선생님도 감사합니다. 진심으로 절 걱정해주시며 진심으로 조언도 해주셨던 사서 선생님도 감사합니다. 저는 커서 뭐가 될지 생각은 못 했지만. 저도 누군가를 돕고 싶다는 생각은 많이 합니다. 이다음에 커서 선한 영향력을 펼치는 사람이 되도록 하겠습니다.

제가 사랑하는 모든 이들에게 이 책을 바치며
저는 앞으로도 이 책의 여정을 써갈 겁니다.
저는 성장이 더딘 것이 아니라
회복이 더딘 것이니깐요.

모쪼록 다들 건강하시길 바랍니다.

24/07/16

ps. 글적음에 도움주시고 제 마음에 도움주신 박상미 선생님에게 감사합니다. 축복이 가득하셨으면 좋겠습니다. 이 글을 드림빌더 박상미 선생님께 늦게나마 바칩니다. 선생님, 저 글 다썼어요!